THE IRISH STAMP YEAR BOOK
1992 - 1993

ÉIRE 32

NOT VALID FOR POSTAGE

1258

This is No.

1258

of the Limited Edition of
The Irish Stamp Year Book
1992-1993
of which 5,000 copies
were produced

THE IRISH STAMP YEAR BOOK
1992 - 1993

Published in 1993 by
An Post
G.P.O., O'Connell Street, Dublin 1, Ireland
© An Post

Standard Edition   ISBN I 872228 14 3
Special Edition   ISBN I 872228 15 1

Design: Ger Garland
Text: Pat Brennan
Printing: Criterion Press, Dublin
Typesetting: Orchestral Manoeuvres in the Mac
Separations and Platemaking: Pentacolour International, Dublin

Standard Edition
Binding: P.D. Print Finish Ltd.

Special Edition
Binding: Antiquarian Bookcrafts
Marbled Paper: Leda Papers

Translation into Irish: Gearóid Ó Casaide

Contents

INTRODUCTION

In recent years Irish stamps have become more varied in size, shape and design, and the 1992/93 stamp Year Book contains interesting examples of our new approach. The Food and Farming issue is made up of a continuous panoramic design which runs across the four stamps. The Trinity College stamps are a longer and narrower shape than our usual "gentleman" size, as this shape is particularly suitable for portraying the beautiful vaulted ceiling of the Trinity College Library. The Irish Impressionism and Contemporary Art issues are much larger than "gentleman" size in order to do justice to the paintings which they feature.

More variety is one of the responses adopted by the Stamp Design Advisory Committee and the designers have made imaginative use of these new sizes and shapes in representing the subjects selected by the Philatelic Advisory Committee.

I thank the members of the Philatelic Advisory Committee and the Stamp Design Advisory Committee, and I would like to pay particular tribute to Dr. Joseph Quigley, a long-serving member of the Philatelic Advisory Committee who, sadly, died during this year. Dr. Quigley was one of Ireland's foremost philatelists, and a most knowledgeable and courteous gentleman. His assistance over many years has been greatly valued by all of us in An Post.

John Hynes
Chief Executive
An Post.

Réamhrá

Le blianta beaga anuas tá éagsúlacht nua ag baint le stampaí na hÉireann i dtaca le méid, cruth agus dearadh de agus feictear samplaí spéisiúla den éagsúlacht seo i mBliainiris stampaí 1992/93. Dearadh leanúnach lánléargais atá sna ceithre stampa san eisiúint Bia agus Feirmeoireacht. Tá na stampaí in eisiúint Choláiste na Tríonóide níos faide agus níos cúinge ná an ghnáthmhéid "gentleman"; oireann an cruth sin go maith do shíleáil bhoghtach Leabharlann Choláiste na Tríonóide. Tá stampaí na n-eisiúintí Impriseanachas na hÉireann agus an Ealaín Chomhaimseartha i bhfad níos mó ná stampaí de mhéid "gentleman" ionas go mbeidh na pictiúir atá orthu le feiceáil i gceart.

Tá glactha ag an gCoiste Comhairleach um Dhearadh Stampaí le polasaí éagsúlachta agus tá leas samhailteach bainte ag na dearthóirí as na méideanna agus na cruthanna nua chun na hábhair a roghnaigh an Coiste Comhairleach Stampshanais a thaispeáint.

Gabhaim buíochas le comhaltaí an Choiste Chomhairligh Stampshanais agus an Choiste Chomhairligh um Dhearadh Stampaí. Is mian liom ómós ar leith a thabhairt don Dr. Seosamh Ó Coigligh a fuair bás, is oth liom a rá, le linn na bliana; d'fhóin sé le tamall fada mar chomhalta den Choiste Comhairleach Stampshanais. Bhí an Dr. Ó Coigligh ar na daoine is cáiliúla in Éirinn i measc lucht an Stampshanais; duine uasal léannta a bhí ann. Tá muintir An Post go mór faoi chomaoin aige as an gcúnamh a thug sé dúinn thar na blianta.

John Hynes
Príomh-Fheidhmeannach
An Post

cúpláil i mí Iúil nó i mí Lúnasa. Ní tharlaíonn ionphlandú go dtí mí Feabhra nó mí Márta ina dhiaidh sin agus i mí Aibreáin beirtear ál ina mbíonn líon puisíní idir ceann amháin agus trí cinn. Tráth a mbreithe ní bhíonn aon fhionnadh ar phuisíní an chait crainn agus bíonn a súile dúnta, mórán mar a chéile le puisíní an chait baile. Tar éis tuairim is cúig mhí a chaitheamh i gcuideachta na máthar bíonn na hóga réidh le féachaint ina ndiaidh féin.

Níl aon naimhde móra ag an gcat crainn, seachas an duine, agus tig leo maireachtáil ar feadh tuairim is 15 bliana nó 20 bliain. Is ainmhí aonarach ciúin é cé go mbeadh a mhalairt de thuairim ag duine dá gcreidfí an mhíthuiscint atá coitianta ina leith. De réir seanscéil ghreannmhair deirtear go bhfuil táirne i ruball an chait crainn.

Is ainmhithe uiliteacha iad; itheann siad éin bheaga, inveirteabraigh agus torthaí. Is maith leis an gcat crainn rudaí milse freisin agus déanann sé foghail ar choirceoga beach chun mil a fháil.

Is speiceas cosanta an cat crainn anois cé go raibh laghdú mór ag teacht ar a líon sa tréimhse idir blianta na 1940-idí agus blianta na 1970-idí. Ba ainmhí luachmhar é i gcónaí mar gheall ar a fhionnadh ach níorbh é an tseilg ba chúis leis an laghdú ar a líon. De réir mar a bhí meath ag teacht ar líon na gcat crainn bhí an líon caorach a bhí ar innilt ag méadú ar fud na tíre. Chun na tréada caorach a chosaint ar ainmhithe creiche ba ghnách le feirmeoirí nimh stricinín a chur ar a gcuid tailte. Itheann an cat crainn ablach agus dá bhrí sin bhí baol ar leith ann dó san fheoil nimhithe a bhí fágtha ag na feirmeoirí caorach. Tá dianchosc ar nimh stricinín a úsáid anois áfach.

Sa lá atá inniu ann, feictear an cat crainn in iarthar na tíre ach go háirithe sa cheantar ó Chontae Shligigh go Contae an Chláir; feictear freisin é in áiteanna áirithe eile, mar shampla i bPort Lách, Contae Phort Láirge. Go híorónta, tá gnáthóg nua faighte ag an ainmhí seo sna foraoisí buaircíní nuaphlandáilte in iarthar na tíre. Tá méadú ag teacht ar an gcoilltiú agus d'fhéadfadh go mbeidh gnáthóg níos forleithne ag an speiceas dá bharr sin cé go nglacfaidh sé cuid mhór blianta eile sula mbeidh an oiread céanna cat crainn ann agus a bhíodh tráth.

delayed until February or March with a litter of one to three kittens being born in April. Pine Marten kittens are born furless with their eyes closed, much like the kittens of domestic cats. After about five months with the mother, the young will begin to care for themselves.

Apart from man, the pine marten has no serious enemies and can expect to live for up to 15 or 20 years. It is a solitary, quiet animal, although some popular misconceptions would suggest otherwise. In some areas martens are blamed for raiding hen houses, but this is not part of their usual behaviour. They are omnivorous animals, feeding on birds and small animals, invertebrates and fruit. The pine marten has a sweet tooth and will also raid bee hives for honey.

Designer:	Richard Ward
Date of Issue:	9th July, 1992
Values & Quantities:	28p - (2m)
	32p - (2m)
	44p - (750,000)
	55p - (750,000)
Sizes:	40.64mm x 29.8mm
Colour:	Multicolour
Make-Up:	Sheets of 50
Perforations:	14 x 15
Printing Process:	Offset Lithography
Printer:	I.S.S.P.

The pine marten is now a protected species, but from the 1940s until the 1970s its numbers were in serious decline. The animal was always valued for its fur, but it was not hunting that decimated the population. As the pine marten was in decline, the numbers of sheep being grazed throughout the country increased. To protect their flocks from predators, farmers laid strychnine poison on their lands. The pine marten will eat carrion and was therefore particularly susceptible to the poisoned meat left by sheep farmers. However, the use of strychnine poisoning is now strictly banned.

Today, the pine marten is found mainly in the west from Sligo to Clare, and in isolated pockets such as Portlaw, Co Waterford. Ironically, the animal has found a new habitat in young, coniferous plantations in the west. Afforestation is on the increase, and this could mean an expanding habitat for the species although it will be many decades before the pine marten is as widespread as it once was.

ABOVE
Queen Elizabeth I hoped that Trinity College would counter the influence of "Popery" on her Irish subjects.

BELOW
Archbishop Adam Loftus, first Provost of Trinity College

RIGHT
Plan of the College c.1592 (courtesy of the Marquess of Salisbury)

OPPOSITE PAGE, RIGHT
The Long Hall, Trinity College Library

Trinity College Dublin was created in 1592 by an Act of Charter of Queen Elizabeth I as the first (and still only) college of the University of Dublin. The monarch's goal was to civilise her subjects in Ireland and to keep them from the influences of "popery". She was unhappy that so many in Ireland went to universities in Europe and therefore came under the influence of Rome. She decreed that in Dublin Trinity would become a college "for learning, whereby knowledge and civility might be increased by the instruction of our people there." The Queen's 'people' were not the Catholic native Irish, but the ascendancy class. In retrospect it is ironic that some of Ireland's most famous and influential nationalists were educated at Trinity.

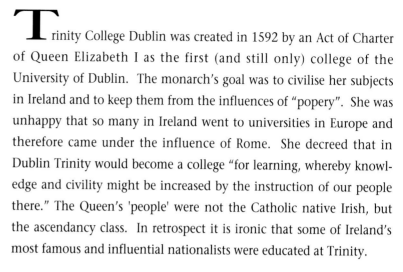

But, until relatively recently in its 400 year history, Trinity College was something of a place apart in the city that surrounded it. The writer John McGahern who came to Dublin in the 1950s recalls that, however familiar Trinity became as he daily passed its gates, he knew no one who worked or studied there. "I think Trinity of that time lived very much within its own pale within the city, and this had its origins in history, in caste and class."

The changes that have taken place in Trinity in the intervening years are enormous. Women were admitted from 1903. By the 1950s they formed one third of the student population. Today they are about half. The college increasingly reflects the mix of Irish society

COLÁISTE NA TRÍONÓIDE

similar to that found in universities throughout the country. The current Provost at Trinity is a Catholic. The college chapel is interdenominational.

The college today occupies 42 acres and caters for more than 9,000 students. None of the original buildings survive. But, in the heart of a busy city, Trinity is an oasis of quiet and antiquity. The Palladian frontage of the college was finished in the late 1750s. The chapel dates from 1787. The oldest buildings are the 18th century Rubrics, although there are several buildings more interesting and more beautiful. One is the Old Printing House, a little Doric temple between the two main squares of the college which is now used by the Department of Electrical Engineering.

Perhaps the most beautiful room in Trinity is the Long Room of the Old Library. The foundation stone of the building was laid in 1712 and the building was ready for use 21 years later. Originally, the ceiling of the library was flat; the vaulted ceiling which is such a dominant feature of the Long Room today was added later amid much controversy.

The library at Trinity College is one of the finest in Britain and Ireland. Under the Library Act of 1801 Trinity is one of four libraries entitled to a free copy of every book published in the two countries. It is a both a boon and a headache for the college which now has about 3 million volumes in seven libraries spread over the campus and beyond. The most famous of these volumes, of course, remains on display in the Long Room.

The *Book of Kells* was written and illuminated by 9th century Irish monks. It is a copy of the Gospels and was given to the College in the 17th century. The Long Room contains other priceless manuscripts, including one of Shakespeare's earliest folios. The most significant are other illuminated manuscripts from the 7th, 8th and 9th centuries. Today, the *Book of Kells* is one of Ireland's most popular tourists attractions. A quarter of a million visitors come each year to see it. However, this is no recent phenomenon. By the end of the 18th century a visit to the library was part of the itinerary for visitors to

RIGHT
The Main Gate.

Stamps featuring famous sons of Trinity College

ABOVE LEFT
Thomas Moore

CENTRE
Jonathan Swift

RIGHT
Rowan Hamilton

BELOW LEFT
Oscar Wilde

RIGHT
Wolfe Tone

BELOW RIGHT
Douglas Hyde

*B*unaíodh Coláiste na Tríonóide sa bhliain 1592 le hAcht Cairte de chuid na banríona Eilís; ba é an chéad choláiste (agus an t-aon choláiste amháin fós) de chuid Ollscoil Bhaile Átha Cliath. Ba é aidhm na banríona ná a cuid géillsineach in Éirinn a thabhairt chun sibhialtachta agus iad a choinneáil ó thionchar na pápaireachta. Bhí sí mí-shásta go raibh an oiread sin daoine ag dul chuig ollscoileanna san Eoraip mar go raibh siad ag teacht faoi anáil na Róimhe ansin. Theastaigh uaithi go mbeadh Coláiste na Tríonóide i mBaile Átha Cliath ina choláiste *"for learning, whereby knowledge and civility might be increased by the instruction of our people there."* Níorbh é pobal na Banríona na Gaeil Chaitliceacha; ba é an aicme cheannais é. Nuair a fhéachtar siar ar chúrsaí is é íoróin an scéil ná gur oileadh roinnt de na daoine is clúití agus is mó tionchar de chuid náisiúntóirí na hÉireann i gColáiste na Tríonóide.

Go dtí le déanaí, áfach, i gcomhthéacs stair 400 bliain, bhí Coláiste na Tríonóide scoite amach i gcónaí ón gcathair a bhí timpeall air. Deir an scríbhneoir John McGahern a tháinig a chónaí i mBaile Átha Cliath i rith bhlianta na 1950-idí nach raibh aithne aige ar dhuine ar bith a bhí ag obair nó ag staidéar i gColáiste na Tríonóide cé go raibh eolas maith aige ar an gColáiste ó bheith ag dul thar a gheataí gach uile lá. Ceapann sé gur mhair Coláiste na Tríonóide laistigh dá limistéar féin an tráth sin agus gur tharla sé sin mar gheall ar chúiseanna staire agus aicme.

Tá athruithe móra tagtha ar Choláiste na Tríonóide san idirlinn. Ligeadh mná isteach sa choláiste den chéad uair i 1903. Faoi bhlianta na 1950-idí b'ionann líon na mban agus trian de líon iomlán na mac léinn. Sa lá atá inniu ann is mná tuairim is leath de na mic léinn. I dtaca le daonra an choláiste de, feictear an meascán céanna daoine ann atá in ollscoileanna eile in Éirinn. Is Caitliceach Propast an Choláiste faoi láthair. Séipéal idirchreidmheach atá sa Choláiste.

Tá 42 acra sa limistéar a chlúdaíonn an Coláiste anois agus tá níos mó ná 9,000 mac léinn ann. Níl aon cheann de na foirgnimh bhunaidh ar marthain. Ach tá ciúnas agus ársacht le fáil ann i gceartlár cathrach gnóthaí. Críochnaíodh éadan Palaidiamach an choláiste i mblianta deiridh na 1750-idí. Téann an séipéal

Dublin. From the end of the 19th century the Book of Kells was put on display in a glass case, and as recently as 1920 the book was removed from its display for inspection by an English travel writer who was researching a book on Ireland.

For all its 'establishment' roots, Trinity's academic tradition is one of independent thought and broad vision. Among the graduates of the college have been many whose achievements are intrinsically linked to the development of this country. Henry Grattan was the leader of the independent Irish parliament, Wolfe Tone was the father of Irish republicanism, Thomas Davis was the leader of the *Young Ireland* movement. Douglas Hyde, the first president of Ireland, was a Trinity graduate, as is the current President, Mary Robinson.

In recent years the wariness which once existed between the college and the Catholic Church has totally disappeared. Although the college ostensibly welcomed Catholics from the end of the 18th century, the bishops of the Catholic Church remained suspicious. When a Catholic alternative to Trinity

Designer:	Eric Patton
Date of Issue:	2nd September, 1992
Values & Quantities:	32p - (2m) 52p - (500,000)
Size:	27.94mm x 44.45mm
Colour:	Multicolour
Make-Up:	Sheets of 50 (25 x 2) with gutter margin
Perforations:	14x15
Printing Process:	Offset Lithography
Printer:	I.S.S.P.

became available in Dublin, the Church view became entrenched. From 1927 until 1970 Catholics were banned from attending Trinity unless they received special permission from their bishop. The college was seen as somehow anti-national and a danger to the Catholic faith.

A stroll through Trinity today reveals little evidence of this legacy. College life is vibrant. Freshers' Week in October begins the new academic year, and all the societies and clubs set up stalls on the avenue leading to Front Square to vie with each other for new members. The social highlight of the year comes in May with the Trinity Ball when the city is awash with students in ball gowns and bow-ties celebrating through the night.

RIGHT
The famous Campanile

ABOVE RIGHT
The grand square

BELOW, RIGHT
Professor George Francis Fitzgerald, conducted many aviation experiments on the College grounds

siar go dtí an bhliain 1787. Is iad Rúibricí an 18ú haois na foirgnimh is sine cé go bhfuil roinnt foirgneamh eile ann atá níos spéisiúla agus níos áille ná iad. Áirítear orthu sin an Seanteach Clódóireachta ar teampall beag Dórach é atá suite idir dhá phríomhchearnóg an choláiste; úsáidtear anois é mar áras don Roinn Innealtóireachta Leictrí.

Is é an seomra is áille i gColáiste na Tríonóide, b'fhéidir, ná Seomra Fada na Seanleabharlainne. Leagadh bonnchloch an fhoirgnimh sa bhliain 1712 agus bhí an foirgneamh féin réidh lena úsáid 21 bhliain ina dhiaidh sin. I dtosach bhí síleáil chothrom sa leabharlann; bhí conspóid mhór ann maidir leis an tsíleáil bhoghtach a cuireadh isteach tamall ina dhiaidh sin ach is gné an-suntasach den Seomra Fada í sa lá atá inniu ann.

Tá leabharlann Choláiste na Tríonóide ar na leabharlanna is fearr dá bhfuil in Éirinn agus sa Bhreatain. De réir an Achta Leabharlann a ritheadh i 1801 tá Coláiste na Tríonóide i dteideal cóip de gach leabhar a fhoilsítear sa dá thír a fháil saor in aisce. Is mór an buntáiste é sin don choláiste ach is crá croí é freisin mar go bhfuil tuairim is 3 mhilliún imleabhar ann sna seacht leabharlann ar láithreán an choláiste agus lasmuigh de. Bíonn an ceann is clúití de na himleabhair sin ar taispeáint sa Seomra Fada.

Manaigh de chuid an 9ú haois a raibh cónaí orthu i mainistir i gCeanannas Mór a scríobh

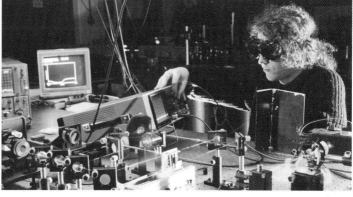

agus a mhaisigh Leabhar Cheanannais. Is cóip é de na Ceithre Soiscéal agus tugadh don choláiste é sa 17ú haois. Tá lámhscríbhinní sárlu-achmhara eile sa Seomra Fada ar a n-áirítear ceann de na fóiliónna is luaithe de chuid Shakespeare. Tá lámhscríbhinní maisithe de chuid an 7ú, 8ú agus 9ú haois ann freisin.

Sa lá atá inniu ann tarraingíonn Leabhar Cheanannais a lán turasóirí. Tagann ceathrú milliún daoine ag féachaint air gach bliain. Ach ní rud nua é seo. Faoi dheireadh an 18ú haois bhí cuairteoirí ag triall ar an leabharlann mar chuid dá gcuairt ar Bhaile Átha Cliath. Ó dheireadh an 19ú haois i leith tá Leabhar Cheanannais ar taispeáint faoi chlúdach gloine; baineadh an leabhar amach as a ionad taispeánta i 1920 le go bhféadfadh scríbhneoir Sasanach, a raibh taighde ar siúl aige le haghaidh leabhair taistil ar Éirinn, é a iniúchadh.

D'ainneoin a fhréamhacha san "aicme cheannais" is é traidisiún acadúil Choláiste na Tríonóide ná traidisiún lena ngabhann tuairimí neamhspleácha agus leathanaigeantacht. Áirítear ar chéimithe an choláiste daoine a raibh baint mhór ag a gcuid oibre le forbairt na tíre. Ba é Henry Grattan ceannaire pharlaimint neamhspleách na hÉireann; ba é Wolfe Tone athair an phoblachtánachais in Éirinn; ba é Thomas Davis ceannaire ghluaiseacht na nÉireannach Óg; ba chéimí de chuid Choláiste na Tríonóide Dúbhglas de h-Íde, an chéad

Uachtarán ar Éirinn, agus is céimí de chuid an choláiste Uachtarán na hÉireann i láthair na huaire is é sin Máire Mhic Róibín.

Le blianta beaga anuas níl aon rian fágtha den fhaichill a bhíodh ann idir an coláiste agus an Eaglais Chaitliceach. Cé gurbh é polasaí oifigiúil an choláiste ó dheireadh an 18ú haois fáilte a chur roimh Chaitlicigh bhí amhras i gcónaí ar easpaig na hEaglaise Caitlicí. Nuair a cuireadh coláiste Caitliceach ar bun i mBaile Átha Cliath mar mhalairt ar Choláiste na Tríonóide d'éirigh dearcadh na hEaglaise andaingean ar fad. Ó 1927 go dtí 1970 bhí cosc iomlán ar Chaitlicigh freastal ar Choláiste na Tríonóide mura mbeadh cead acu óna n-easpag. Bhíothas den tuairim go raibh an coláiste frithnáisiúnach agus gur chontúirt é don chreideamh Caitliceach.

Nuair a shiúlann duine trí Choláiste na Tríonóide sa lá atá inniu ann ní thugtar faoi deara aon lorg den ghné sin dá stair. Tá saol an choláiste an-bhríomhar. Bíonn Seachtain na bhFochéimithe Nua ann i mí Dheireadh Fómhair ag tús na bliana acadúla; bíonn seastáin ag na cumainn agus na clubanna go léir san aibhinne a théann isteach sa Chearnóg Tosaigh agus bíonn siad in iomaíocht lena chéile chun baill nua a fháil. Is é Damhsa Mór na Bealtaine an ócáid is mó sa bhliain; bíonn oíche go maidin ann agus bíonn an chathair lán de mhic léinn agus iad gléasta i ngúnaí agus i gcultacha galánta.

ABOVE
FROM LEFT
College Chapel

The Book of Kells

Trinity has extensive art collections including this sculpture by Henry Moore

Research and development

BELOW
FROM LEFT
Sport – an important and enjoyable aspect of College life

Recipients of honorary doctorates in 1988, Dublin's Millennium Year.

18

MAIN PICTURE
Parnell Square

RIGHT
*Map of Dublin from the
period of Malton's
drawings*

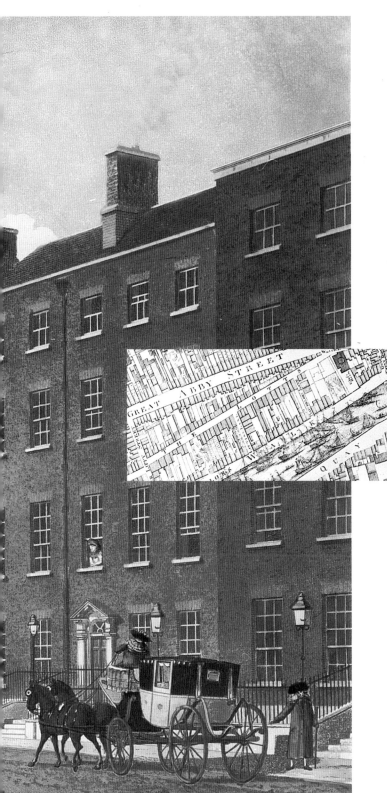

The Dublin preserved in James Malton's drawings is a capital in its prime. It is a city of elegant Georgian Squares, grand buildings and prosperous citizens. In his introduction to *Malton's Dublin*, a recent reproduction of the original 1799 edition, The Knight of Glin suggested that "there were many more beggars than are shown and that the standard of cleanliness has been considerably exaggerated." But Malton, he wrote, "caught the city at the peak of its development." James Malton was a member of a London family of draughtsmen. His father, Thomas, came to Dublin in 1785. James, the younger of two sons, went to work in the office of the great architect James Gandon during the building of the Custom House.

But his time in Dublin was relatively short, and there is evidence of a serious falling out with Gandon. He had completed his series of Dublin drawings by 1791 and produced his engravings in sections of four from 1792 to 1799. Although there is evidence that he travelled to Dublin often during those years, he was based in London.

The complete set of James Malton's engravings was published in book form in 1799, with an accompanying text. The printing technique used is called aquatint. The plate could be printed with two to three colours, and the details were finished by hand. The final product resembles an original watercolour and even today the detail is remarkable.

Malton's views of Dublin range from Gandon's masterpiece, the Custom House, to St Patrick's Cathedral, to a busy Capel Street in the heart of commercial Dublin.

Taken together, Malton's 25 aquatints bring Georgian Dublin to life. The buildings are beautiful, but it is the minutely observed street scenes with their glimpses of everyday life that give the engravings their special character. There are merchants on horseback, women looking out windows, farmers passing the time of day, beggars, and barefoot children. And everywhere there are horse-drawn coaches bringing the gentry about their business.

At the time Dublin was the second city of the British empire with its own parliament. The city was home to about 40 factories for the manufacture of coaches which gave employment to some 2,000 people, but industry is not evident in Malton's elegant Dublin. Most industry at the time was concentrated in the Liberties, which by 1800 was an area of squalid slums. Elegance and poverty went side by side.

Designer:	Design Image
Date of Issue:	2nd September, 1992
Values & Quantities:	28p - (2m)
	44p - (500,000)
Size:	40.64mm x 29.8mm
Colour:	Multicolour
Make-Up:	Sheets of 50
Perforations:	14 x 15
Printing Process:	Offset Lithography
Printer:	I.S.S.P.

Indeed, there is some evidence that Malton's view of Dublin street life, however sanitised, was too strong for public tastes. An early engraving of the Parliament House (now the Bank of Ireland, College Green), features three pigs in the foreground being driven by a man with a stick. In later editions the man remains but the pigs are gone. Presumably they were considered an affront to the dignity of the parliament. Most of the buildings featured in Malton's engravings remain intact today although the settings have changed. Spacious avenues are now filled with traffic and the serenity Malton captured no longer exists. Indeed, Malton captured a truly fleeting moment in Dublin's history. The Dublin parliament was dissolved by the Act of Union a year after Malton's book was published and the city began to go into decline. The peers left and many of the great town houses of Mountjoy Square and St Stephen's Green were let out as lodgings. There was no need for the splendid craftsmen who had prospered as Georgian Dublin bloomed.

*P*ríomhchathair i mbarr a réime atá i gcathair Bhaile Átha Cliath atá le feiceáil i líníochtaí James Malton. Is cathair í ina bhfuil cearnóga galánta, foirgnimh mhaorga agus saoránaigh shaibhre. Ina réamhrá le leagan atáirgthe de Malton's Dublin, ar foilsíodh an leagan bunaidh de sa bhliain 1799, thug an Knight of Glin le fios go raibh i bhfad níos mó bacach ann ná mar a thaispeántar agus go bhfuil áibhéil déanta maidir leis an gcaighdeán glaineachta. Deir sé, áfach, gur thug Malton léargas ar an gcathair agus í i mbarr a réime. Ba dhuine de chlann dréachtóirí as Londain James Malton. Tháinig a athair, Thomas, go Baile Átha Cliath sa bhliain 1785. Ba é James an mac ab óige dá bheirt mhac agus chuaigh sé ag obair in oifig an ailtire chlúitigh, James Gandon, nuair a bhí Teach an Chustaim á thógáil.

Ach ba ghearr an tréimhse a chaith sé i mBaile Átha Cliath agus tá fianaise ann gur éirigh idir é féin agus Gandon. Chríochnaigh sé a shraith de líníochtaí de Bhaile Átha Cliath faoin mbliain 1791 agus rinne sé a chuid greanadóireachtaí ina gceithre chuid ó 1792 go 1799. Cé go bhfuil fianaise ann gur ghnách leis taisteal go Baile Átha Cliath go minic le linn na mblianta sin bhí a bhunáit suite i Londain.

Foilsíodh an tsraith iomlán de ghreanadóireachtaí James Malton i bhfoirm leabhair sa bhliain 1799 agus bhí téacs ag gabháil leis an leabhar. Tugtar aigéadóireacht ar an teicníocht

chlódóireachta a úsáideadh. Bhíothas in ann an pláta a chló le dhá cheann nó trí cinn de dhathanna agus críochnaíodh na mionsonraí de láimh. Tá an saothar críochnaitheach an-chosúil le huiscedhath agus fiú amháin sa lá atá ann inniu is iontach an caighdeán atá sna mionsonraí.

Tá réimse leathan le fáil i radhairc Malton de Bhaile Átha Cliath; mar shampla, Teach an Chustaim, arb é ardsaothar Gandon é, agus tráth gnóthach i Sráid Capel i lár cheantar tráchtála Bhaile Átha Cliath.

Tugann na 25 aigéadóireacht a rinne Malton blas den atmaisféar a bhí i mBaile Átha Cliath sa tréimhse Sheoirseach. Tá foirgnimh áille iontu ach is iad na mionsonraí atá le feiceáil sna radhairc de ghnáthshaol na sráideanna a thugann carachtar speisialta do na greanadóireachtaí. Feictear ceannaithe ar muin capaill, mná ag féachaint amach as fuinneoga, feirmeoirí ag caint lena chéile, bacaigh agus leanaí cosnochta. Agus tá cóistí capaill iontu ina bhfuil daoine uaisle á n-iompar agus iad i mbun a ngnóthaí.

An tráth sin, nuair a bhí Baile Átha Cliath ar an dara cathair ba thábhachtaí in Impireacht na Breataine agus a parlaimint féin aici ina raibh 82 chomhalta, bhíodh tuairim is 40 monarcha sa chathair ina ndéantaí cóistí; bhí tuairim is 2,000 duine ar fostú iontu ach ní fheictear aon rian den tionsclaíocht i radhairc ghalánta Malton de Bhaile Átha Cliath. Bhí an chuid is mó de na tionscail bunaithe sna Saoirsí an tráth sin; faoin mbliain 1800, ceantar slumaí suaracha a bhí ann. Mhair an ghalántacht agus an bhochtaineacht taobh le taobh. Le fírinne, tá fianaise ann go raibh an pobal i gcoitinne mí-shásta le radhairc Malton de Bhaile Átha Cliath cé nach raibh an chuid ba mheasa den saol le feiceáil iontu. Taispeántar i ngreanadóireacht luath de Theach na Parlaiminte (áit a bhfuil Banc na hÉireann, Faiche an Choláiste, anois) trí mhuc atá á dtiomáint ag fear a bhfuil bata aige. In eagráin níos déanaí ná sin tá an fear le feiceáil ach níl aon mhuca ann. Is dócha gur measadh gur mhasla don Pharlaimint iad. Tá an chuid is mó de na foirgnimh a fheictear i ngreanadóireachtaí Malton ann fós cé go bhfuil an timpeallacht ina bhfuil siad athraithe. Tá na hascaillí fairsinge lán de thrácht anois agus níl ann don suaimhneas a cheap Malton níos mó. Le fírinne, cheap Malton móimint fíorghairid i stair Bhaile Átha Cliath. Díscaoileadh Parlaimint Bhaile Átha Cliath leis an Acht Aontachais bliain tar éis fhoilsiú leabhar Malton agus leis sin thosaigh meath ag teacht ar an gcathair. D'imigh na tiarnaí agus ligeadh cuid mhór de na tithe móra i gCearnóg Mhóinseo agus i bhFaiche Stiabhna amach ar cíos mar lóistín. Ní raibh aon ghá leis na ceardaithe sároilte ar tháinig rath orthu nuair a bhí Baile Átha Cliath i mbarr a réime sa tréimhse Sheoirseach.

ABOVE, FROM LEFT
Great Courtyard, Dublin Castle

The Tholsel

St.Stephen's Green

BELOW, FROM LEFT
Royal Exchange

Custom House

Capel Street

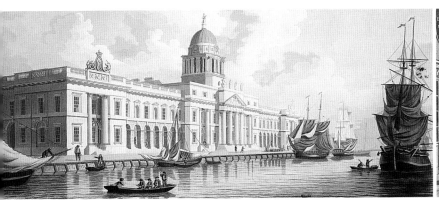

ABOVE LEFT
Barley harvesting

RIGHT
A Friesian dairy herd

CENTRE LEFT
A prize Hereford Bull

BELOW LEFT
Irish horticulture has become much more widespread and specialised in recent years

BELOW
Hay bailing in Wicklow

MAIN IMAGE
The clean unspoilt environment is one of the major selling points for Irish produce

In the Republic of Ireland, there are twice as many cattle as there are people. That fact goes some way toward explaining the predominance of agriculture in the Irish economy. Ireland depends on agriculture, not just to feed its people, but to create economic growth and employment. Exports of food and drink products represent nearly a quarter of total exports. About one third of those at work are employed in agriculture, food processing, or related services and industries.

There has been farming in Ireland since about 3000 BC when the first Neolithic farmers arrived. Since that time this has remained an agricultural nation. The climate, made temperate by the waters of the Gulf Stream, has played a major role. Grass, so plentiful that it is taken for granted, is one of the country's most valuable natural resources, and provides the basis for the production of beef, sheep and dairy products. Grass grows from February until December providing low cost conditions for outdoor grazing.

For Ireland, two products outweigh all others - beef and milk. Cattle and beef alone make up about a half of all agricultural exports. Although tillage is important it is very much secondary to the high protein foods such as beef, dairy produce, sheep and pig meat. Dairy products have been significantly developed in recent years. Where Ireland once sold its milk, butter and cream there is now an array of yogurts and cheeses. Dairy processing is dominated by the large, farmer-owned co-operatives, but smaller businesses are also active. There is hardly a region that does not now boast several varieties of

Bia Agus Feirmeoireacht

*I*bPoblacht na hÉireann tá a dhá oiread eallaigh ann agus atá daoine. Is míniú páirteach é sin ar an ionad tosaíochta atá ag an talmhaíocht i ngeilleagar na hÉireann. Tá Éire ag brath ar an talmhaíocht ní hamháin chun bia a chur ar fáil do na daoine ach freisin chun forás eacnamaíochta agus fostaíocht a chruthú. Tá onnmhairí bia agus dí comhionann beagnach leis an gceathrú cuid dár n-onnmhairí go léir. Tá tuairim is an tríú cuid de na daoine uilig a bhfuil obair acu fostaithe sa talmhaíocht, sa tionscal próiseála bia nó i seirbhísí agus tionscail ghaolmhara.

Tá feirmeoireacht ar siúl in Éirinn ó tuairim is an bhliain 3000 RC tráth ar tháinig na chéad fheirmeoirí Neoiliteacha go hÉirinn. Is náisiún talmhaíochta é seo ón am sin i leith. Tá an aeráid an-tábhachtach sa chomhthéacs seo; is aeráid mheasartha atá ann mar gheall ar uiscí Shruth na Murascaille. Tá an féar, a nglactar leis

gan smaoineamh, ar na hacmhainní nádúrtha is luachmhara atá ag an tír agus is é is bonn le táirgeadh mairteola, caoireola agus táirgí déiríochta. Bíonn an féar ag fás ó mhí Feabhra go mí na Nollag agus cuireann sé dálaí íseal-chostais ar fáil i gcomhair innilte taobh amuigh.

I gcás na hÉireann is tábhachtaí dhá tháirge ar leith ná aon chinn eile - is iad sin mairteoil agus bainne. Is ionann na honnmhairí eallaigh agus mairteola agus tuairim is leath na n-onnmhairí talmhaíochta go léir. Cé go bhfuil an churaíocht tábhachtach is gníomhaíocht thánaisteach í i gcomórtas leis na bianna ard-phróitéine ar nós mairteola, táirgí déiríochta, caoireola agus muiceola.

Le blianta beaga anuas tá forbairt mhór déanta maidir le táirgí déiríochta. Chomh maith le bainne, im agus uachtar a dhíol tá rogha mhór ann anois de iógairt agus de

ABOVE
Strawberry growing under cloches

CENTER
A variety of Irish agricultrual produce

BELOW
Sheep farming in County Waterford

cháiseanna. Is iad na comharchumainn mhóra ar leis na feirmeoirí iad a rialaíonn an phróiseáil déiríochta ach tá gnóthaí beaga gníomhach sa réimse seo freisin. Tig le beagnach gach uile réigiún a mhaíomh go bhfuil cineálacha éagsúla cáise feirme á ndéanamh iontu. Déantar cuid mhór de na cáiseanna sin a onnmhairiú chun na mór-roinne. Tá eolas maith ar bhrandaí ar nós *Cashel Blue, St. Killian, Milleens* agus *Gigginstown* anois lasmuigh d'Éirinn.

Sa bhliain 1983 bunaíodh Comhlachas Dhéantóirí Cáise na hÉireann chun ionadaíocht agus fógraíocht a dhéanamh ar son an dreama nua mhéadaithigh táirgeoirí seo. Ó 1982 i leith tá méadú 20% tagtha ar an táirgeadh in aghaidh na bliana; is beag tionscal bia ar éirigh chomh maith céanna leis sa tréimhse atá i gceist.

Oireann an aeráid do tháirgeadh bainne ach tá an timpeallacht ghlan chomh tábhachtach céanna mar go gcinntíonn sí sin gurb íne an bainne a tháirgtear anseo ná i mórán áiteanna eile san Eoraip.

Tá méadú suntasach tagtha freisin ar tháirgeadh mairteola le blianta beaga anuas. Tá laghdú ar an líon eallaigh a onnmhairítear beo mar gheall ar fhorbairt tionscail nua-aimseartha maraithe eallaigh agus próiseála mairtfheola. Agus tá forás eacnamaíoch agus breis fostaíochta ann dá bharr sin. Onnmhairítear ochtó a cúig faoin gcéad den mhairteoil a tháirgtear.

Tá réabhlóid tar éis tarlú, i dtaca le cúrsaí bia de, in ollmhargaí, i mbialanna agus i dtithe ar fud na hÉireann. Is é is cúis leis sin, go páirteach, ná an réimse mór de tháirgí nua atá ar fáil sa tír féin agus ón iasacht. Ach chomh maith leis sin, is mó an meas atá ann anois d'ardcháilíocht na dtáirgí traidisiúnta úra áitiúla. Áirítear na nithe seo a leanas ar tháirgí breátha na hÉireann: liamhás Luimnigh, uaineoil Chonamara, fiafheoil Chill Mhantáin, arán donn úr, sútha talún Loch Garman agus oisrí na Gaillimhe. Is iad an úire agus an fholláine saintréithe stíle cócaireachta nua Éireannaí atá á cruthú ag cócairí i mbialanna ar fud na tíre. Tá íomhá na húire, na folláine agus na glaine, ó thaobh na timpeallachta de, ag bia na hÉireann agus is mian le lucht na talmhaíochta an íomhá sin a chosaint.

farmhouse cheese. Many of these are exported to the cheese connoisseurs of the continent. Brand names such as Cashel Blue, St Killian, Milleens, and Gigginstown are now well known outside Ireland.

In 1983 the Irish Farmhouse Cheesemakers Guild was formed to represent and promote this new and growing band of producers. Since 1982 production has increased by about 20% each year, making this one of the great success stories of the food industry. The climate in right for milk production, but equally important is Ireland's clean environment which ensures grazing cattle produce a milk purer than most in Europe.

Beef processing has also increased significantly in recent years. Live cattle exports have decreased greatly thanks to the development of a modern beef slaughtering and processing industry. This has in turn promoted both economic growth and employment. Eighty-five percent of beef produced is now exported.

In supermarkets, restaurants and homes, Irish food has undergone something of a revolution in recent

Designer:	Frances Poskitt
Date of Issue:	15th October, 1992
Values & Quantities:	4 x 32p - (4 x 500,000)
Size:	29.8mm x 40.64mm
Colour:	Multicolour
Make-Up:	Sheets of 40 (20 x 2) with gutter margin
Perforations:	14 x15
Printing Process:	Offset Lithography
Printer:	I.S.S.P.

years. Some of this can be attributed to the great range of new products available from home and abroad. But there is also a growing awareness of the high quality of traditional, fresh, local produce. Limerick ham, Connemara lamb, Wicklow venison, fresh brown bread, Wexford strawberries, Galway oysters are some of the many examples of fine Irish produce. Fresh and wholesome are the hallmarks of a new, distinctly Irish cuisine that is being created by chefs in restaurants throughout the country. Fresh, wholesome and environmentally clean is an image that Irish agriculture is keen to protect.

*O*íche chaille na bliana 1992, ar bhuille deireanach an mheán oíche, las Uachtarán na hÉireann, Máire Mhic Róibín, lóchrann i bPáirc an Fhionnuisce chun fáilte a chur roimh an mbliain úr. Bhí an lóchrann sin ar na mílte lóchrann a lasadh ar fud na hEorpa chun tús na bliana 1993 agus cruthú an mhargaidh aonair i measc bhallstáit an CE a cheiliúradh. Tá Éire páirteach anois i margadh oscailte ina bhfuil 340 milliún daoine. Is ionann é sin agus bailchríoch ar an obair atá ar siúl le roinnt blianta chun comhiomlánú a bhaint amach agus tá dúshláin agus deiseanna ag baint leis.

I gcás chuid mhór daoine is é an ghné is suntasaí den mhargadh aonair ná deireadh a bheith le hionaid chustam ag teorainneacha agus le rialacháin maidir leis na nithe a dtig le taistealaithe a thabhairt isteach sa tír dá n-úsáid phearsanta. Sna haerfoirt ar fud na tíre tá siombail nua ghorm ann do phaisinéirí ó thíortha eile de chuid an CE nach gá dóibh dearbhú a dhéanamh faoi na nithe atá ceannaithe acu thar lear. Tá deireadh leis na hionaid chustam a bhí ann le fada an lá feadh na teorann le Tuaisceart Éireann agus tá an fhoireann curtha chuig áiteanna eile.

Tig le cuideachtaí Éireannacha trádáil a dhéanamh ar fud na hEorpa gan bhac agus bhí dianchúrsaí teanga mar chuid thábhachtach den ullmhúchán a rinne cuideachtaí i gcomhair 1993, agus iad ag súil le gnó a dhéanamh ar an mór-roinn. Beidh gnóthaí Eorpacha in ann trádáil a dhéanamh gan bhac anseo ar ndóigh agus beidh ar thionscail de chuid na hÉireann iomaíocht a dhéanamh ag an leibhéal seo.

Chuige sin tá cistí struchtúrtha curtha ar fáil do na réigiúin is boichte ar imeall na hEorpa lena chinntiú go dtig leo iomaíocht a dhéanamh leis na geilleagair láidre. Ach tríd is tríd is tír onnmhairithe Éire agus tá go leor le gnóthú aici ó mhargadh méadaithe.

Sa díospóireacht a bhí ann roimh an reifreann ar Chonradh Maastricht faoina ndéantar socrú maidir le haontacht airgeadaíochta agus polaitíochta sa CE bhí cuid mhór cainte ann faoi ionad na hÉireann san Eoraip. Léiríodh imní go maolófaí ceannasacht na tíre, go mbeadh bagairt ann don neodracht agus go mbainfí dár gcéannacht chultúrtha ach sa deireadh vótáil 69% de na vótálaithe ar son Maastricht agus thug siad vóta muiníne do pháirteachas na hÉireann san Eoraip.

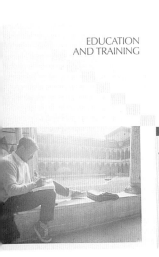

EDUCATION AND TRAINING

THE SINGLE MARKET IN ACTION

FREEDOM OF MOVEMENT

COMPETITION POLICY IN THE EUROPEAN COMMUNITY

APPROXIMATION OF TAXES. WHY?

At the last stroke of midnight of 31 December, 1992, President Mary Robinson lit a torch in the Phoenix Park. It was one of thousands of torches lit throughout Europe to mark the beginning of 1993 and the creation of a single market among EC member states. Ireland is now part of an open market of 340 million people. It is the culmination of years of progress towards integration and offers both challenges and opportunities to Irish industry.

For many the most obvious feature of the single market is the abolition of border customs posts and regulations about what travellers can bring into the country for personal use. At airports around the country there is a new, blue symbol for passengers from other EC countries who need not declare the items they have bought abroad.

The customs posts that have long been a feature of life along the border with Northern Ireland are gone, their staff relocated.

Irish companies can now trade freely across Europe and intensive language courses for companies hoping to do business on the continent have been a feature of the preparations for 1993. Of course, European businesses will also be able to trade freely here and Irish industry will have to compete at this level. To that end, structural funds have been provided for investment in the relatively poor regions on the periphery of Europe to ensure that they can compete with the stronger economies. But, on the whole, Ireland is an exporting nation and has a lot to gain from a larger market.

In the run up to the referendum on the Maastricht Treaty, which brings the EC ever closer to political and monetary union, there was much debate about our place in Europe. Fears were expressed that sovereignty would be diluted, neutrality threatened, cultural identity undermined, but in the end, 69% of voters said yes to Maastricht and gave a vote of confidence to Ireland in Europe.

Designer:	Robert Ballagh
Date of Issue:	15th October, 1992
Value & Quantity:	32p - (1m)
Size:	40.64mm x 29.8mm
Colour:	Multicolour
Make-Up:	Sheets of 50
Perforations:	14 x 15
Printing Process:	Offset Lithography
Printer:	I.S.S.P.

AN MARGADH EORPACH AONAIR

*I*n óráid a thug an Pápa Pól VI os comhair grúpa ealaíontóirí sa bhliain 1964 dúirt sé gurbh ionann an Vatacáin tráth agus ceardlann ag mór-ealaíontóirí an domhain. Ba chúis aiféala leis nach raibh téamaí reiligiúnacha le feiceáil a thuilleadh san ealaín chomhaimseartha mar a bhí nuair a bhí an Eaglais ina pátrún mór ag saol na n-ealaíon. Bhíodh an bhaint idir an Eaglais agus an ealaín chomh mór sin go ndeachaigh siad go mór i bhfeidhm ar a chéile.

Taispeántar na nithe seo a leanas ar na trí stampa i sraith bhliantúil na Nollag: mionsamhail 15ú haois de chuid na Fraince ina bhfeictear léiriú ar Theachtaireacht an Aingil á tabhairt ag an Aingeal Gaibriél gan Muire a bheith i láthair; pictiúr 16ú haois de chuid scoil Flórans ina léirítear na hAoirí ag déanamh Adhradh; agus Na Trí Ríthe ag déanamh Adhradh ar léiriú 16ú haois de chuid scoil na Gearmáine é.

Bíonn Teachtaireacht an Aingil ann go minic in Ealaín na Críostaíochta agus is soiléir, dá bharr sin, gur foirceadal an-tábhachtach í. De réir traidisiúin bíonn an tAingeal Gaibriél gléasta in éadaí bána. San ealaín a bhaineann le blianta tosaigh na hAthbheochana bíonn ríshlat ina láimh aige de ghnáth agus *fleur-de-lys* ar a barr. Mar a fheictear sa mhionsamhail a thaispeántar anseo is minic a bhíonn scrolla casta timpeall na ríshlaite agus bíonn an t-aingeal ag léamh theachtaireacht an Tiarna uaidh á rá le Muire go ngabhfadh sí gin agus go mbéarfadh sí mac.

I dtosach, sagairt de chuid aicme chreidimh in oirthear an domhain a bhí sna trí saoithe. Is ina dhiaidh sin a tugadh an teideal rí dóibh. De réir traidisiúin bíonn an rí is sine ar a ghlúine os comhair an linbh atá in ucht na Maighdine. Go deireanach sna meánaoiseanna b'ionann teacht na ríthe agus ómós an domhain ar fad mar ab eol é an tráth sin - an Eoraip, an Áise agus an Afraic.

Ní fheictear radharc de na haoirí ag déanamh adhradh san ealaín roimh dheireadh an 15ú haois cé go bhfuil pictiúir luatha ann den aingeal ag fógairt bhreith an Mheisias leis na haoirí sa pháirc. Is sampla an-mhaith den stíl sin an pictiúr de chuid scoil Flórans a thaispeántar anseo; bíonn mionradharc de mhala chnoic ann go minic freisin.

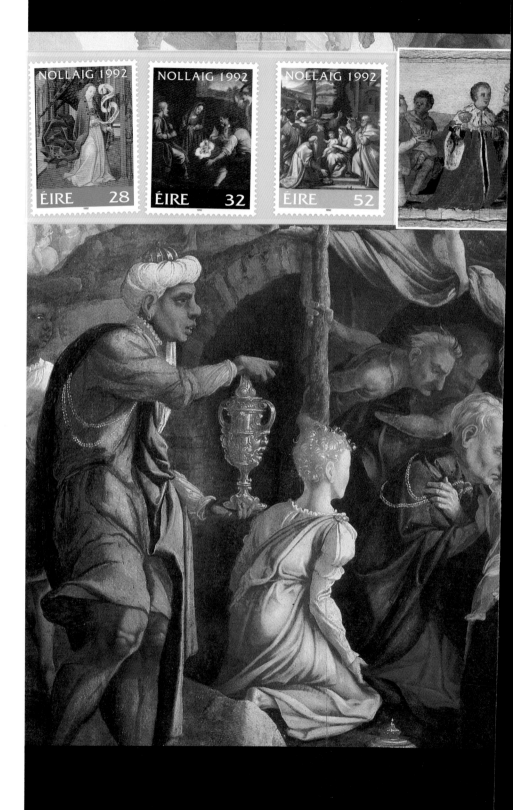

BELOW
Adoration of the Magi by Jan van Scorel,Flemish School
ABOVE
The Adoration of the Magi, Florentine School

In an address to artists in 1964 Pope Paul VI remarked that the Vatican had once been the home and workshop to the world's great artists. He regretted that religious themes no longer featured in contemporary art to the extent they did in centuries past when the Church was the great patron of the art world. So deeply did religion influence art that art has, in turn, influenced religion.

The three stamps in the Christmas series feature a 15th century French miniature of *The Annuciation* with the Angel Gabriel without Mary, a 16th century *Adoration of the Shepherds* from the Florentine school, and an *Adoration of the Magi* from the German school also of the 16th century.

The prevalence of the Annuciation in Christian art reflects its doctrinal importance. Traditionally the Angel Gabriel dresses in white. In early Renaissance art he usually holds a sceptre tipped with a *fleur-de-lys*. Often, as in the miniature featured here, the sceptre is entwined with a scroll from which the angel reads his message from the Lord telling Mary she would conceive and bear a son.

Designer:	Design Image
	Q Design (Promotion)
Date of Issue:	19th November, 1992
Values &	28p - (4m)
Quantities:	32p - (4m)
	52p - (500,000)
	Promotion - (1.1m sheetlets)
Size:	29.8mm x 40.64mm
Colour:	Multicolour
Make-Up:	28p, 32p, 52p, - Sheets of 50
	Promotion - Sheetlets of 13
Perforations:	14 x 15
Printing Process:	Offset Lithography
Printer:	I.S.S.P.

The wise men were originally priests of an Eastern cult. Later they were redefined as kings. Traditionally the oldest king kneels before the infant in the Virgin's lap. In the late middle ages the kings came to represent homage from all of the known world - Europe, Asia, Africa.

The scene of the adoration of the shepherds is not found in art before the end of the 15th century, although there are early portrayals of the angel announcing the birth of the Messiah to the shepherds in the field. The example from the Florentine school shown here is typical, as is the glimpse of the distant hillside.

*I*s minic a bhíonn banríona agus croíthe le sonrú i bhfinnscéalta do pháistí ach ní ghnách iad a bheith ann in éineacht a chéile. Chomh minic lena athrach bíonn na banríona in éadan an ghrá a bhíonn i roinnt de na scéalta is mó a thaitníonn le daoine.

Sa scéal iomráiteach *The Snow Queen* gabhann an bhanríon na páistí agus déanann sí píosaí oighir dá gcroíthe. I *Snow White* is í an leasmháthair an Bhanríon agus ba dheacair bean is nimhní ná í a fháil. Tá éad chomh mór sin uirthi go mbeartaíonn sí an banphrionsa a mharú ach déanann an prionsa í a tharrtháil ar ndóigh.

Tá craiceann *Snow White* chomh bán le sneachta, tá a beola chomh dearg le fuil agus tá a cuid gruaige chomh dubh le héabann. Tá an tuairisc sin oiriúnach do Naoise ar dhuine de na leannáin is mó clú é i seanscéalaíocht na hÉireann. Bhí craiceann Naoise chomh bán leis an sneachta, bhí a dhá ghrua chomh dearg le fuil agus bhí a chuid gruaige chomh dubh leis an bhfiach.

Ní bhíonn críoch lúcháireach le scéalta grá na hÉireann de ghnáth. Ba é toradh an ghrá idir Deirdre agus Naoise ná go bhfuair dhá thrian d'fhir na hÉireann, trian d'fhir na hAlban agus triúr mac Uisnigh bás.

Bíonn téama is lúcháirí ná sin ag baint leis na finnscéalta rómánsúla is mó clú sa lá atá inniu ann. I gcás *The Little Mermaid* rinneadh athscríobh iomlán ar an gcríoch bhrónach a bhí leis an scéal bunaidh nuair a bhí an scannán cartúin den scéal á dhéanamh.

Ó tharla gurb iondúil go dtarrthálann an prionsa an banlaoch is maith an t-athrú é an prionsa a bheith á tharrtháil. Is mar sin atá i *Beauty and the Beast*, scéal ina mbíonn an bua iomlán ag an ngrá mar gur féidir leis an mbanlaoch neamhaird a dhéanamh de chuma fhisiciúil an fhir. Agus, ar ndóigh, caitheann na leannáin saol sona sásta ina dhiaidh sin.

Queens and hearts feature large in children's fairy tales, although usually not together. As often as not the queens set themselves against the romance that goes with some of the best loved happy-ever-after endings.

In the classic story *The Snow Queen* the Queen captures children and turns their hearts to ice. In *Snow White* the stepmother is Queen and a nastier woman would be hard to find. Consumed by jealousy, she sets out to kill the princess who, of course, is saved by a prince. Snow White has skin as white as snow, lips as red as blood and hair as black as ebony. That could also describe Naoise, one of the great lovers of Irish legend.

In a version of the tale written by folklore archivist Seán O'Sullivan, Naoise's "skin was as white as the snow, his two cheeks were as red as blood and his hair as black as the raven." Irish love stories are inclined not to end happily. The love between Deirdre and Naoise resulted in the deaths of two-thirds of the men of Ireland, one-third of the men of Scotland and the three sons of Uisneach.

Designer:	Colin Harrison (28p)
	Q Design (32p)
Date of Issue:	26th January, 1993
Values &	28p - (1.5m)
Quantities:	32p - (1.5m)
Size:	28p - 29.8mm x 40.64mm
	32p - 40.64mm x 29.8mm
Colour:	Multicolour
Make-Up:	Sheets of 50
Perforations:	14 x 15
Printing Process:	Offset Lithography
Printer:	I.S.S.P.

Most romantic fairy tales enjoying popularity today tend to be more cheerful. In the case of *The Little Mermaid*, the sad ending of the original story was rewritten entirely for the popular animated film version. With most fairy tale heroines being saved by their princes, it makes a refreshing change to see the prince as the one who needs saving. Such is the story of *Beauty and the Beast*, where true love conquers all because the heroine has the capacity to look beyond physical appearances. And, of course, the lovers live happily ever after.

MAIN IMAGE
A Convent Garden, Brittany, by William Leech

ABOVE LEFT
Under the Cherry Tree, by Sir John Lavery

ABOVE RIGHT
A Portrait of the Artist's Wife, by William Leech

BELOW LEFT
Towards Night and Winter, by Frank O'Mara

BELOW RIGHT
The Sunshade, by William Leech

OPPOSITE PAGE RIGHT
The Weighing Room, by Sir John Lavery

Evening at Tangier. Sir John Lavery

ÉIRE 28

The Goose Girl. William J. Leech

ÉIRE 32

The heading for this series is, perhaps, a little misleading, as there was no impressionist movement in Ireland, no school of impressionist painters following the new style established in Paris. However, several Irish painters were influenced by the impressionists for at least part of their careers, so much so that the National Gallery linked these paintings in a 1984 exhibition called *The Irish Impressionists*.

For art historians, impressionism marks the great divide in modern art. Before the impressionists came on the scene towards the end of the 19th century, painters sought to reproduce reality. After the impressionists anything was possible.

La Jeune Bretonne, Roderic O'Conor

Lustre Jug, Walter Osborne

Impressionism takes it name from *Impression, Sunrise 1873* by Claude Monet. Among the painters most associated with this style are Renoir, Degas, Pissaro, and Cezanne. Rejected by the official salon in Paris they began staging their own exhibitions in 1874.

Impressionism was about immediacy. A typical painting would snatch an outdoor scene using small, quickly executed brush strokes as if to capture the transient light and atmosphere.

Of the painters featured in these stamps, the only one who exhibited with the impressionists in Paris was Roderic O'Conor. He was born in 1860, the son of the High Sheriff of Roscommon, heir to a 1,800 acre estate. As far as his family was concerned, he should have

34

BELOW
Cherry Ripe, by Walter Osborne

followed in his father's footsteps, but he went to the Dublin Metropolitan School of Art instead. He went on to study in Antwerp and eventually reached Paris in 1886 by which time he was already painting in the impressionist style. He worked in Brittany throughout the 1890s and spent the next 30 years in Paris. *La Jeune Breton* is one of O'Conor's earliest Breton paintings.

Born in 1859, Walter Osborne was a contemporary of Roderic O'Conor. His father, William, was himself a painter much against the wishes of his family. So Walter Osborne had no further rebelling to do in order to pursue his chosen career. He was a brilliant student of the Royal Hibernian Academy and, as was the practice at the time, was sent to the continent to further his studies. Like O'Conor, he went to the Academy at Antwerp. Antwerp was cheaper than Paris and for the student less confusing as it had only one school. After Antwerp he moved to Britanny where he painted open air scenes of rural life. He was not particularly impressed by the modern French painting of the time and did not explore impressionism until the early 1890s. During this time he worked mainly in England, settling with other artists in small villages and working as much as possible out of doors. Even when he was spending most of his time in England, Osborne was very much part of the Irish art establishment.

He was made Associate of the Royal Hibernian Academy in 1883 and a full member in 1886. He sent his important paintings back here to be exhibited each year. In the last ten years of his life he was best known as a portrait painter. He needed to earn money and

Designer:	Eric Patton
Date of Issue:	4th March,1993
Values & Quantities:	28p - (1m)
	32p - (1m)
	44p - (500,000)
	52p - (500,000)
Size:	39.56mm x 51.46mm
Colour:	Multicolour
Make-Up:	Sheets of 20
Perforations:	13 x13
Printing Process:	Offset Lithography
Printer:	I.S.S.P.

D'fhéadfadh go bhfuil teideal na sraithe seo míthreorach ó tharla nach raibh aon ghlu-aiseacht impriseanachais in Éirinn riamh ná nach raibh aon scoil péintéirí impriseanacha ann a lean an stíl nua a bunaíodh i bPáras. Tháinig roinnt péintéirí Éireannacha faoi thion-char an impriseanachais ar feadh chuid dá saol ar a laghad agus bhí an tionchar chomh mór sin gur chuir an Dánlann Náisiúnta péintéireachtaí dá gcuid le chéile in aon taispeántas amháin i 1984 dar theideal *The Irish Impressionists*.

Maidir le staraithe na healaíne, is ionann an t-impriseanachas agus pointe athraithe san ealaín nua-aimseartha. Sular cuireadh tús leis an impriseanachas ag deireadh an 19ú haois ba é aidhm na bpéintéirí an réadacht a atáirgeadh. Tar éis teacht an impriseanachais bhí gach ní indéanta.

Faigheann an tImpriseanachas a ainm as pic-tiúr dar teideal *Imprisean, Éirí na Gréine, 1873* le Claude Monet. Áirítear ar na péintéirí is mó a bhfuil baint acu leis an stíl seo Renoir, Dégas, Pissaro agus Cézanne. Ó tharla gur dhiúltaigh salón oifigiúil Pháras dóibh thosaigh siad ar a gcuid taispeántas féin a sheoladh i 1874.

Bhain stíl an Impriseanachais leis an aimsir láithreach. Go hiondúil bheadh an péintéir ag iarraidh radharc taobh amuigh a cheapadh le buillí beaga gasta den scuab ionas go mbeadh greim aige ar an solas agus ar an atmaisféar tim-peallach. As measc na bpéintéirí a dtaispeántar a saothar sna stampaí seo is é Roderic O'Conor an t-aon duine acu a thaispeáin a chuid pictiúr i dtaispeántas de chuid na n-impriseanaithe i bPáras. Rugadh eisean sa bhliain 1860; mac le hardsirriam Ros Comáin a bhí ann agus bhí sé ina oidhre ar eastát 1,800 acra. A mhéid a bhain lena theaghlach ba cheart dó lorg a athar a leanúint ach ina ionad sin chuaigh sé go dtí Scoil Ealaíne Chathair Bhaile Átha Cliath. Ina dhiaidh sin rinne sé staidéar in Antwerp agus sa deireadh bhain sé Páras amach sa bhliain 1886; faoin am sin fiú bhí sé ag péintéireacht i stíl an impriseanachais. Bhí sé ag saothrú sa Bhriotáin ar fud bhlianta na 1890-idí agus chaith sé an 30 bliain ina dhiaidh sin i bPáras.

Tá *An Bhean Óg Bhriotánach* ar na pic-tiúir is luaithe dá ndearna sé sa Bhriotáin. Rugadh Walter Osborne sa bhliain 1859 agus

portraits sold well. He died suddenly in 1903 of pneumonia at the age of 44 and was undoubtedly a great loss to Irish art.

The *Lustre Jug* was painted in 1901. It is a good example of Osborne's later work, using the light from a window reflected on a table cloth to illuminate this intimate scene of three children.

Sir John Lavery was born in Belfast in 1856. He trained in Glasgow and then continued his studies in London and Paris before returning to Scotland. He quickly built up a considerable reputation particularly for his portrayal of women. In Ireland his best known work is the Cathleen ni Houlihan featured on the first Irish bank notes and which still can be seen as a watermark on the new £20 note. The model for that painting, and many others, was his wife, the beautiful Chicago heiress Hazel Martyn.

Evening at Tangier is one of a series of roof-top pictures painted in Morocco. Lavery made regular trips to Morocco from 1891 onwards, capturing the cloudless skies, the white walled architecture, the exotic Arab dress. Presumably this provided welcome relief from the portrait painting that filled much of his career.

The last painting in this series, *The Goose Girl* by William Leech, is one of the most popular in the National Gallery. The influence of the impressionists is obvious here, but it's ironic that Leech (1881-1968) wasn't even born when the impressionists staged their first exhibi-tions. William Leech was born and educated in Dublin and studied at the Metropolitan School of Art under Walter Osborne. He described Orborne as the best teacher he ever had: "I just carried on doing what Walter Osborne taught me." Encouraged by Osborne he went to France and spent ten years in Brittany. At the time, Brittany was a sort of cultural mecca for artists and thousands of painters came every summer. There Leech developed his distinctive style of playing with reflected sunlight. *The Goose Girl* captures all the radiance of a sum-mer's day in Brittany.

LEFT
*Lady Lavery, by
Sir John Lavery*

ABOVE
RIGHT
*Scene in the
Phoenix Park, by
Walter Osborne*

BELOW
RIGHT
*Time Flies, by
Gerard Barry*

baineann sé leis an tréimhse chéanna le Roderic
O'Conor. Ba phéintéir a athair, William, rud
nár thaitin lena chlann. Mar sin de ní raibh ar
Walter Osborne mórán troda a dhéanamh le go
gceadófaí dó dul i mbun a rogha gairme. Mac
léinn sármhaith a bhí ann de chuid Acadamh
Ríoga na hÉireann agus, ar nós na haimsire sin,
cuireadh chun na mór-roinne é chun leanúint
dá oiliúint. Mar a tharla i gcás O'Conor,chuaigh
sé chuig an Acadamh in Antwerp. Ní raibh
Antwerp chomh costasach le Páras agus ó tharla
nach raibh ach scoil amháin ann ní raibh an t-
ábhar céanna mearbhaill ann don mhac léinn.
Tar éis tréimhse a chaitheamh in Antwerp
chuaigh sé go dtí an Bhriotáin áit ina ndearna
sé péintéireacht ar radhairc taobh amuigh de
shaol na tuaithe. Ní dheachaigh péintéireacht
nua-aimseartha na Fraince i bhfeidhm go mór
air agus níor bhac sé le stíl an impriseanachais
go dtí blianta deiridh na 1890-idí. Sa tréimhse
sin chaith sé an chuid is mó dá am i Sasana i
measc ealaíontóirí eile i mbailte beaga agus é ag
obair taobh amuigh a mhéid ab fhéidir é. Fiú
amháin agus é ina chónaí i Sasana ba chuid de
shaol na nEalaíon in Éirinn é. Rinneadh Ball
Comhlach d'Acadamh Ríoga na hÉireann de sa
bhliain 1883 agus tháinig sé chun bheith ina
bhall iomlán sa bhliain. Ba ghnách leis a chuid
péintéireachtaí tábhachtacha a chur go

hÉirinn lena dtaispeáint gach bliain. Sna deich mbliana deiridh dá shaol bhí clú air mar phéintéir portráidí. Bhí air airgead a thuilleamh agus bhí díol mór ar phortráidí. Fuair sé bás tobann den númóine sa bhliain 1903 nuair a bhí sé 44 bliana d'aois agus gan aon amhras ba mhór an chailliúint é do shaol na healaíne in Éirinn.

Rinneadh *An Crúiscín Lonrach* sa bhliain 1901. Is sampla maith é de shaothar déanach Osborne; úsáideann sé an solas atá á fhrithchaitheamh ón bhfuinneog ar éadach boird chun an radharc lách seo de thriúr páiste a shoilsiú.

Rugadh Sir John Lavery i mBéal Feirste sa bhliain 1856. Fuair sé oiliúint i nGlaschú agus lean sé dá oideachas ina dhiaidh sin i Londain agus i bPáras sular phill sé ar Albain. Chuir sé lena chlú go gasta go háirithe mar gheall ar a chuid pictiúr de mhná. In Éirinn, is é an saothar is mó clú dá chuid ná pictiúr dar teideal Caitlín Ní hUallacháin atá le feiceáil ar na chéad nótaí airgid Éireannacha; feictear fós é mar uiscemharc ar an nóta nua £20. Ba í a bhanchéile, an banoidhre álainn as Chicago darb ainm Hazel Martyn, a rinne mainicíneacht don phictiúr sin mar a rinne sí i gcás a lán pictiúr eile dá chuid.

Tá *Tráthnóna i Tangier* ar cheann de na péintéireachtaí i sraith pictiúr bairr dín a rinneadh sa Mharacó. Ón mbliain 1891 amach, ba ghnách le Lavery dul go dtí an Maracó go minic áit ar cheap sé an spéir gan scamall, ailtireacht na mballaí bána agus na héadaí andúchasacha Arabacha.

Tá an phéintéireacht dheireanach a thaispeántar sa tsraith seo, is é sin *Cailín na nGéanna*, le William Leech, le feiceáil sa Dánlann Náisiúnta agus tá sé ar na pictiúir is mó a thaitníonn le daoine. Is soiléir tionchar na n-impriseanaithe sa phictiúr seo ach is íoróineach an scéal é nach raibh Leech beo (1881 - 1968) nuair a sheol na himpriseanaithe a gcéad taispeántais.

Rugadh agus oileadh William Leech i mBaile Átha Cliath agus rinne sé staidéar faoi Walter Osborne i Scoil Ealaíne Chathair Bhaile Átha Cliath. Dúirt sé gurbh é Osborne an múinteoir ab fhearr dá raibh aige riamh agus gur lean sé an treoir a thug Walter Osborne dó. Ar mholadh Osborne chuaigh sé chun na Fraince agus chaith sé deich mbliana sa Bhriotáin. An tráth sin bhí an Bhriotáin mar a bheadh *Mecca* cultúrtha ann d'ealaíontóirí agus bhí na mílte péintéirí ag dul ann gach samhradh. Is ansin a d'fhorbair Leech an stíl shainiúil a bhí aige trínar úsáid sé solas gréine frithchaite. Sa phictiúr *Cailín na nGéanna* ceapann sé loinnir iomlán lae samhraidh sa Bhriotáin.

ABOVE
LEFT
Feeding Pigeons,
by Nathaniel Hone

CENTRE
A view of Pont
Aven, by Roderic
O'Conor

RIGHT
Le Petir Déjeuner,
by Sarah Purser

BELOW
LEFT
Le Ferme de
Lezaver, Finistére,
by Roderic
O'Conor

CENTRE
Reclining nude
before a mirror, by
Roderic O'Conor

RIGHT
Apple Gathering,
by Walter Osborne

ABOVE LEFT
Marsh helleborine

CENTRE
Bird's nest orchid

RIGHT
Early marsh orchid

BELOW LEFT
Butterfly orchid

CENTRE
Pyramidal orchid

RIGHT
Bee orchid

MAIN
IMAGE
Dense-flavoured orchid, by Wendy Walsh

ÉIRE 28 — Bee orchid *Ophrys apifera* 1993
ÉIRE 32 — O'Kelly's orchid *Dactylorhiza fuchsii* 1993
ÉIRE 38 — Dark red helleborine *Epipactis atrorubens* 1993
ÉIRE 52 — Irish lady's tresses *Spiranthes romanzoffiana* 1993

Fauna and Flora 1993

IRISH SECURITY STAMP PRINTING LIMITED

Orchids are among the world's most exquisite flowers. Gardeners who cultivate them in glasshouses are justifiably proud, for these are difficult plants to grow. Not surprisingly, cultivated orchids are also expensive. They are flowers for special occasions.

In the tropics orchids are plentiful both in the wild and in domestic gardens, and they also exist in countries of more temperate climate, The Burren in County Clare is the part of Ireland best known for orchids and other wild flowers. July to August is the best time for finding orchids in the Burren, although some varieties bloom earlier.

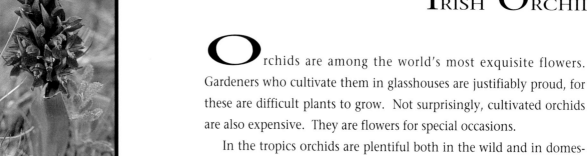

Bee orchid *Ophrys apifera* 1993   O'Kelly's orchid *Dactylorhiza fuchsii* 1993   Dark red helleborine *Epipactis atrorubens* 1993   Irish lady's tresses *Spiranthes romanzoffiana* 1993

Although they are found in other parts of Ireland, orchids seem to particularly like the conditions that pertain in the Burren. With virtually no forest and exposed limestone, there is high light density. The influence of the Gulf Stream and the heat retention powers of the limestone create a warm, moist environment. For botanists, one of the glories of the Burren is not so much the extent of growth but the types of plant species, like orchids, attracted to this northern location. There are orchids, and other flowers, to be found in the Burren which have their origins nearer the Mediterranean, alongside Alpine species and more commonplace native species. One such flower, the Dense Flowered Orchid, can be found as far south as the Canaries.

And for all their image as rare, exotic plants there are 27 varieties of orchid in Ireland. Ten of these are considered rare and four of these are protected by law. Still, no wild orchid, however common, should ever be picked. They are slow to germinate and even slower to come into flower.

MAGAIRLÍNÍ NA hÉIREANN

*T*á magairlíní ar na bláthanna is áille ar an domhan. Bíonn bród ar gharraíodóirí a n-éiríonn leo iad a fhás i dtithe gloine, agus leithscéal maith acu chuige sin, mar go bhfuil sé deacair na plandaí seo a fhás. Ní hionadh ar bith é go mbíonn magairlíní costasach. Is bláthanna iad d'ócáidí speisialta.

I limistéir thrópaiceacha tá neart magairlíní ann san fhiántas agus i ngairdíní tí agus tá siad le fáil freisin i dtíortha ar measartha ná sin an aeráid atá iontu; áirítear Éire ar na tíortha sin. Tá cáil ar an mBoirinn i gContae an Chláir mar cheantar ina bhfaightear magairlíní agus bláthanna fiáine eile. Is iad míonna Iúil agus Lúnasa an t-am is fearr den bhliain chun magairlíní a fheiceáil sa Bhoirinn, cé go mbíonn cineálacha áirithe díobh faoi bhláth níos túisce sa bhliain ná sin.

Cé go bhfaightear iad in áiteanna eile in Éirinn is léir go n-oireann na dálaí atá sa Bhoirinn do mhagairlíní ach go háirithe. Ó tharla gur beag crainn atá ann agus mar gheall ar an aolchloch nocht bíonn ard-dlús solais ann. De thoradh Shruth na Murascaille agus mar gheall ar acmhainn choimeádta teasa na haolchloiche cruthaítear timpeallacht the thais. A mhéid a bhaineann le luibheolaithe ní hé bua na Boirinne an méid fáis atá ann ach na cineálacha plandaí, ar nós na magairlíní, atá in ann fás sa suíomh tuaisceartach seo. Tá magairlíní agus bláthanna eile ann sa Bhoirinn a bhaineann go bunúsach le háiteanna is cóngaraí don Mheánmhuir; feictear iad taobh le speicis Alpacha agus speicis dhúchasacha is coitianta ná sin. Faightear bláth amháin den sórt sin, an Lus Togha, chomh fada ó dheas leis na hOileáin Chanáracha.

D'ainneoin go meastar go forleathan gur plandaí tearca andúchasacha iad tá 27 gcineál magairlín le fáil in Éirinn. Meastar gur cineálacha tearca deich gcinn acu sin agus tá cosaint dlí ag ceithre cinn acu. Ní ceart, áfach, aon mhagairlín fiáin a bhaint fiú amháin más cineál coitianta é. Bíonn siad mall ag péacadh agus is maille ná sin a thagann bláth orthu. Tá ceann amháin de na magairlíní a thaispeántar sa tsraith stampaí seo - Cúilín Gaelach - i measc na gceithre chineál a chosnaítear faoin Acht um

Fhiadhúlra, 1976. Fásann an planda sin i móinéir thaise nó ar chladaí lochanna. Fuarthas ag fás é in iarthar Chorcaí, i ndeisceart Chiarraí agus ar bhruacha Loch Choiribe in iarthar na Gaillimhe. Faightear freisin é i dTuaisceart Éireann i bhFear Manach agus sna contaetha a thimpeallaíonn Loch nEachach.

Is ionann Magairlín Uí Cheallaigh agus cineál ar leith den nuacht bhallach choiteann atá fairsing sa Bhoirinn. Bláth bán a bhíonn air agus bíonn cruth sorcóireach air; is léir go bhfásann sé go maith i limistéir fhéarmhara. Ainmníodh é as Pádraig Ó Ceallaigh (1852-1937) a bhí ina luibheolaí; b'as Baile Uí Bheacháin, Co. an Chláir, dó. Ba ghnách leis an gCeallach plandaí tearca, a bhí bainte aige sa Bhoirinn, a fhás ina phlandlann agus ansin staidéar a dhéanamh orthu; cáineadh go mór é mar gheall ar an gcleachtas sin. Ba ghnách leis na bláthanna a fuair sé a dhíol agus fuarthas aithne den chéad uair ar an magairlín bán a bhfuil ainm s'aige féin air anois nuair a tairgeadh lena dhíol é. Ach bhí eolas maith aige ar an mBoirinn agus ba threoraí eolach é do na daoine go léir a tháinig chun féachaint ar *flora* an cheantair.

Fásann an Magairlín Dúdhearg go maith i bpábháil bhriste aolchloiche na Boirinne; bíonn bláthanna dúdhearga air agus gas ard giobach. Is féidir é a fheiceáil i scoilteacha idir carraigeacha ó Chontae an Chláir go Conga i gContae Mhaigh Eo.

Mar is léir óna ainm tá an Magairlín Beachach cosúil le beach fhiáin. Is planda ard é le spící a mbíonn idir trí cinn agus sé cinn de bhláthanna ar gach ceann acu. Is féidir an Magairlín Beachach a fheiceáil i méilte gainimh agus i limistéir ina bhfuil ithir aolchloiche. Faightear é sa chuid is mó de chontaetha na hÉireann, ina phlanda aonair uaireanta agus ina bhraisle uaireanta eile. Is ceann de na magairlíní éagsúla é atá ainmnithe as na feithidí nó na hainmhithe a mheastar iad a bheith cosúil leo.

Dá bhrí sin, chomh maith leis na magairlíní beachacha tá na cineálacha seo a leanas ann freisin: magairlíní féileacánacha, frogacha, laghairteacha agus cuileogacha; tá magairlín meidhreach ann chomh maith.

One of the orchids featured in this series of stamps - the Irish Lady's Tresses - is among those four varieties protected by the Wildlife Act of 1976. This plant grows in damp meadows or on lake fronts. It has been found in west Cork, south Kerry and on the shores of Lough Corrib in west Galway. It is also found in Northern Ireland in Fermanagh and the counties that border Lough Neagh. The numbers of this orchid found in any year vary enormously.

O'Kelly's Orchid is a variation on the common spotted orchid which is plentiful in the Burren. It is white, cylindrical in shape and seems to favour grassy areas. It is named after Patrick B O'Kelly (1852-1937), a botanist of Ballyvaughan, Co Clare. In his nursery O'Kelly cultivated and studied rare plants uprooted from the Burren, a practice that has earned him much criticism. He also sold the flowers he found and the white orchid that now bears his name was discovered when it was offered for sale. But he knew the Burren well and was a knowledgeable guide to all who came to observe the flora of the area.

Designer:	Ian Loe
Date of Issue:	20th April, 1993
Values & Quantities:	28p - (1m)
	32p - (1m)
	38p - (500,000)
	52p - (500,000)
	Miniature Sheet (120,000)
Size:	29.8mm x 40.64mm
	Miniature Sheet -
	140mm x75mm
Printing Process:	Offset Lithography
Printer:	I.S.S.P.

The Dark Red Helleborine, with its dark red flowers on tall hairy stems, favours the shattered limestone pavements of the Burren. It can be found in rock crevices from Clare to Cong, Co Mayo.

As its name suggests, the Bee Orchid resembles a bumble bee. It is tall with spikes of three to six blooms each. The Bee Orchid can be found in sand-dunes, dry banks and in areas of limestone soils. It is found in most counties in Ireland, sometimes as a single plant, sometimes in a cluster. It is one of several orchids named commonly after the insects or animals they are thought to resemble. Hence, as well as bee orchids there are butterfly, frog, lizard, fly and even man orchids.

MAGAIRLÍNÍ NA hÉIREANN

MAIN
IMAGE
*Summer Knot, by
Barry Cooke*

ABOVE
*Gutted Mackerel,
by Camille Souter*

BELOW
RIGHT
*Stamps featuring
"Head" by Louis le
Brocquy and "Gold
Painting No. 57"
by Patrick Scott*

FAR RIGHT
*Isla de Graciosa -
Light - Caleta del
Sebo, by Tony
O'Malley*

EUROPA
CONTEMPORARY ART

Hilda Van Stockum, HRHA

ÉIRE 32

Born in Callan, Co. Kilkenny, in 1913, Tony O'Malley is one of the most highly regarded painters working in Ireland today. In many ways his story is the story of Irish contemporary art.

Interviewed for a recent television series on art, he remembered his early years: "Irish painting in relation, say, to the modern movement was a solitary kind of struggle on the part of the individual artist, a solitary struggle. They weren't harking back to what had already been done. They were trying to achieve a means of expression in a modern sense. Most of the Irish painters of that time were still painting landscapes". O'Malley, and other modern artists, followed a different path and "worked for the work's sake." In many ways, they were before their time, not receiving due recognition until relatively late in their careers. Of the boom that has taken place in Irish art since the early 1980s, O'Malley says: "I am quite pleased at the number of artists in Ireland now. I like the idea that there are hundreds of them, both men and women. Of course that wasn't so in my time." O'Malley's work is very much rooted in the landscape. His abstract, lyrical paintings are a personal response to the landscape. As he explains it, he "felt a compulsion to put something down about it."

The other contemporary artist featured in this series is Hilda Van Stockum. The painting reproduced in this stamp is a typical still life, brilliantly executed, almost severe.

An Ealaín Chomhaimseartha

*T*á Tony O'Malley, a rugadh i gCallainn i gContae Chill Chainnigh, ar na péintéirí is mó cáil dá bhfuil ag obair in Éirinn sa lá atá inniu ann. Ar go leor bealaí is ionann scéal s'aigesean agus scéal na healaíne Éireannaí comhaimseartha. In agallamh a rinneadh leis le haghaidh sraithe teilifíse le déanaí chuir sé síos ar a chéad laethanta mar phéintéir agus dúirt sé go raibh an phéintéireacht in Éirinn, i gcomórtas leis an staid i láthair na huaire, mar a bheadh coimhlint uaigneach ann a mhéid a bhain le healaíontóirí aonaracha. Ní raibh siadsan ag féachaint siar, dar leis, ar na nithe a bhí déanta cheana féin ach bhí siad ag iarraidh modh léirithe a cheapadh a d'oirfeadh don am inar mhair siad. Bhí an chuid is mó de phéintéirí a linne fós ag déanamh pictiúr de thírdhreacha.

Chuaigh O'Malley agus ealaíontóirí nua-aimseartha eile slí dhifriúil agus d'oibrigh siad ar mhaithe leis an saothar. Ar go leor bealaí bhí siad i bhfad chun tosaigh ar a n-aimsir féin agus ní bhfuair siad aitheantas ceart go dtí measartha mall ina saol oibre.

Maidir leis an mborradh atá tar éis tarlú in ealaín na hÉireann ó thosach na 1980-idí i leith, deir O'Malley go bhfuil sé féin sách sásta faoin líon ealaíontóirí atá ag saothrú leo in Éirinn anois. Is maith leis a chuimhneamh go bhfuil na céadta acu ann, idir fhir agus mhná, rud nach raibh fíor nuair a bhí seisean ag tosú.

Tá saothar O'Malley fréamhaithe go hiomlán sa tírdhreach. Is ionann a chuid péintéireachtaí teibí liriceacha agus freagra pearsanta ar an tírdhreach. Tá sé mínithe aige gur theastaigh uaidh go mór rud éigin a chur ar taifead ina thaobh sin.

Is í Hilda van Stockum an t-ealaíontóir comhaimseartha eile a bhfuil a saothar le feiceáil sa tsraith seo. Is sampla maith den phictiúr d'ábhar neamhbheo a thaispeántar ar an stampa seo; tá sé críochnaithe go sármhaith agus d'fhéadfaí a rá go bhfuil cuma lom air.

Tharla roinnt rudaí ó thosach na 1980-idí ba chúis leis an mborradh atá ann faoi láthair i dtaca leis na dearcealaíona de. Tháinig roinnt ealaíontóirí óga le chéile chun scéim grúpstiúideo a bhunú; áirítear orthu sin Cecily Brennan agus Eithne Jordan. D'éirigh chomh maith leis na lárionaid dearcealaíon i mBaile

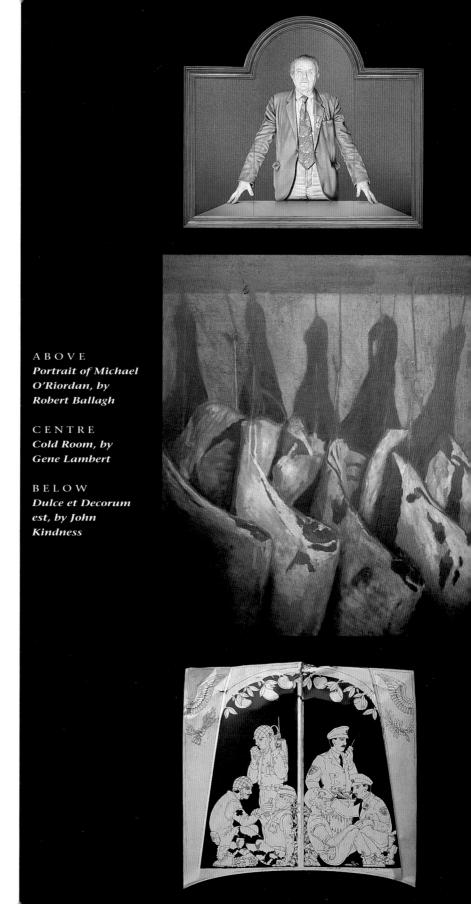

ABOVE
Portrait of Michael O'Riordan, by Robert Ballagh

CENTRE
Cold Room, by Gene Lambert

BELOW
Dulce et Decorum est, by John Kindness

Átha Cliath gur thosaigh níos mó daoine ag comhoibriú lena chéile sa phríomhchathair agus tá tús curtha le stiúideonna den tsamhail chéanna i gCorcaigh, i Luimneach, i Loch Garman, i nGaillimh agus i bPort Láirge.

Bhí ról an-tábhachtach ag an gComhairle Ealaíon san obair seo. Faigheann a lán de na scéimeanna grúp-stiúideo deontais ón gComhairle Ealaíon agus ó bunaíodh Aosdána go luath sna 1980-idí tá cúnamh díreach tugtha acu do dhaoine atá ag obair i réimse na n-ealaíon. Tá an 150 ball d'Aosdána i dteideal iarratas a dhéanamh chuig an gComhairle Ealaíon ar liúntas saor ó cháin, ach sin faoi réir tástála acmhainne. Dóibh sin a bhfuil an cúnamh seo a dhíth orthu ligeann an scéim seo dóibh aird iomlán a dhíriú ar a gcuid oibre ealaíne. Tá tuairim is 70 dearcealaíontóir in Aosdána agus is daoine óga cuid mhór acu.

Bhí ról ag an gComhairle Ealaíon freisin maidir le spás agus airgead a fháil i gcomhair taispeántas. Mar shampla, chuidigh an siarfhéachaint ar shaothar Patrick Collins ionad lárnach a aisiriú don ealaíontóir seo i stair ealaíne na haoise seo in Éirinn. Bhí Tony O'Malley tar éis roinnt mhaith blianta a chaitheamh i gCorn na Breataine agus bhí sé ionann is caillte ag lucht leanúna na n-ealaíon in Éirinn ach tar éis t-aispeántais siarfhéachana dá shaothar fuair sé an taitheantas a bhí tuillte aige i bhfad roimhe sin. Tá an méid sin fíor freisin i gcás Camille Souter a bhí bunaithe in Acaill. Agus ina theannta sin chuidigh na taispeántais siarfhéachana lárthéarma de shaothar Michael Farrell agus Barrie Cooke chun an ealaín Éireannach chomhaimseartha a athbheochan. Ar an dóigh sin tharla athmheast-óireacht ar ealaíontóirí bunaithe an tráth céanna le teacht chun cinn glúine nua a bhí óg agus tallannach.

Chuir an Chomhairle Ealaíon airgead ar fáil i gcomhair taispeántais i 1983 dar theideal *Making Sense*; is é an taispeántas sin ba chúis le teacht chun cinn na n-ealaíontóirí seo a leanas: Brian Bourke, Patrick Graham, Brian Maguire, Patrick Hall, Michael Cullen agus Michael Mulcahy. Tharla sé sin bliain amháin tar éis thaispeántas tábhachtach Mulcahy i nGailearaí Lincoln. Chorraigh sé daoine, ar bhealach dearfach agus diúltach, lena chuid pictiúr mór dána.

Several things happened since 1980 to bring about the current upsurge in the visual arts in Ireland. Some of the younger generation of artists, including Cecily Brennan and Eithne Jordan, joined together to found a group studio scheme. The success of the Visual Arts Centre in Dublin encouraged more co-operation in the capital, and similar studios have also sprung up in Cork, Limerick, Wexford, Galway and Waterford.

The role of the Arts Council has been crucial. Many of the group studios receive Arts Council funds, and since it was founded in the early 1980s Aosdána has also provided direct funding for those working in the arts. The 150 members of Aosdána are eligible to apply to the Arts Council for a means-tested, tax-free allowance or *cnuas*. For those who need it, this scheme frees them to concentrate on their work. There are about 70 visual artists in Aosdána, many of them young.

The Arts Council has also had a role in finding space and funding for exhibitions. The Patrick Collins retrospective, for example, helped restore this artist to a central position in the recent history of Irish art. Tony O'Malley, who for years had lived in Cornwall and was effectively lost to Irish art enthusiasts, also received belated recognition following a major retrospective exhibition. This also applies to the Achill based artist, Camille Souter. The so-called midterm retrospectives of Michael Farrell and Barrie Cooke were also significant in revitalising contemporary Irish art.

And so, the reappraisal of established artists coincided with the emergence of a talented younger generation. The Arts Council funded the "Making Sense" exhibition in 1983, which saw the emergence of artists such as Brian Bourke, Patrick Graham, Brian Maguire, Patrick

Designer:	Eric Patton
Date of Issue:	18th May, 1993
Values &	32p - (1m)
Quantities:	44p - (700,000)
Size:	38mm x 51.46mm
Colour:	Multicolour
Make-Up:	Sheetlets of 10
Perforations:	13 x13
Printing Process:	Offset Lithography
Printer:	I.S.S.P.

AN EALAÍN CHOMHAIMSEARTHA

Hall, Michael Cullen and Michael Mulcahy. That was the year after Mulcahy's landmark exhibition in the Lincoln Gallery. His big, bold paintings created an excited reaction, both positive and negative. At the same time, painting, having been out of vogue, was becoming fashionable again in the international art world. Mulcahy and others in this mould - neo-expressionists, as they were known - were suddenly of interest to the commercial galleries. And today, even in the throes of a recession, the commercial galleries remain vibrant. For the contemporary artists the Douglas Hyde Gallery, at Trinity College, has been enormously significant. It was launched as a co-operative venture between the Arts Council and Trinity College as a primary venue for contemporary art. Since 1979 the gallery has co-ordinated a series of exhibitions of a technical standard previously unheard of in this country. Artists participating in group exhibitions have benefited greatly, and, it was here that the most important retrospective exhibitions, reassessing the work of established artists, were held.

The new generation of Irish painters has yet to make its mark internationally, but there are others who have. Ireland's most celebrated artist for many years now is undoubtedly Louis Le Brocquy, born in Dublin in 1916 and now a respected elder statesman of the art world. He has exhibited all over the world and is probably best known for his almost spiritual images of the human head.

Traditionally, Ireland has been a writer's country, not known for its visual arts. Camille Souter, who finds inspiration in the Achill landscape, has said that the Irish are not instinctively a visual people. Michael Kane, a forceful and independent voice in the Irish art world since the 1960s, has said that internationally Irish art is underrated. "I do think that because we are saturated in literature and storytelling and so on there will be a certain element of lyricism and I think this is very important. I think this is absent in other national traditions. It is time the world took notice of what is happening in painting in Ireland. I personally believe the best painting in the world is happening in Dublin at the present time."

An tráth céanna tar éis a bheith as faisean bhí an phéintéireacht ag éirí níos faiseanta arís sa réimse ealaíne idirnáisiúnta. I bhfaiteadh na súl, thosaigh na gailearaithe tráchtála ag cur spéis i Mulcahy agus i ndaoine eile dá leithéid - na nua-eispriseanaithe mar a tugadh orthu. Agus fiú amháin sa lá atá inniu ann, i lár lagthrá eacnamaíochta, tá borradh faoi na gailearaithe tráchtála fós.

I gcás na n-ealaíontóirí comhaimseartha bhí Gailearaí Dhúbhglas de h-Íde i gColáiste na Tríonóide thar a bheith tábhachtach. Cuireadh tús leis mar chomhfhiontar de chuid na Comhairle Ealaíon agus Choláiste na Tríonóide chun bheith ina phríomhionad taispeánta don ealaín chomhaimseartha. Ó 1979 i leith tá comheagrú déanta ag an nGailearaí i gcomhair sraith taispeántas nach bhfacthas a leithéid sa tír seo roimhe a mhéid a bhaineann le caigh

AN EALAÍN CHOMHAIMSEARTHA

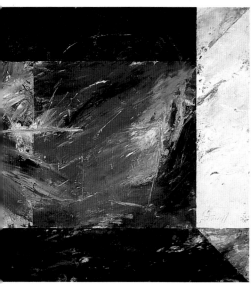

-deán teicniúil. Tá tairbhe mhór bainte ag ealaíontóirí as grúpthaispeántais a raibh siad páirteach iontu. Agus is sa ghailearaí sin a seoladh na taispeántais siarfhéachana is tábhachtaí ina ndearnadh athmheastóireacht ar shaothar ealaíontóirí bunaithe.

Níor éirigh leis an nglúin nua de phéintéirí Éireannacha fós ar bhonn idirnáisiúnta ach tá daoine eile ann a bhfuil éirithe leo. Is é Louis Le Brocquy, gan amhras, an t-ealaíontóir is cáiliúla de chuid na hÉireann le tamall fada anois; rugadh i mBaile Átha Cliath é sa bhliain 1916 agus féachtar air anois amhail is gur státaire de dhomhan na healaíne atá ann. Tá a shaothar curtha ar taispeáint ar fud an domhain agus is é an chuid den saothar sin is mó a bhfuil eolas air ná na híomhánna de chloigeann an duine - íomhánna atá beagnach spioradálta.

De réir traidisiúin, is tír scríbhneoirí í Éire gan mórán iomrá uirthi mar gheall ar na dearcealaíona. Tá sé ráite ag Camille Souter, a fhaigheann inspioráid as tírdhreach Acla, nach bhfuil tréith dhearcach ag baint le muintir na hÉireann ó nádúr. Ceapann Michael Kane, ar duine é a bhfuil tuairimí neamhspleácha aige agus a bhfuil baint aige le saol na n-ealaíon in Éirinn ó bhlianta na 1960-idí, nach dtugtar an meas ceart d'ealaín na hÉireann. Síleann sé go mbeidh liriceacht éigin le sonrú san ealaín ó tharla go bhfuilimid ar maos sa litríocht agus sa scéalaíocht; agus ceapann sé go bhfuil sé sin tábhachtach. Dar leis, níl sé sin ar fáil i dtraidisiúin náisiúnta eile, agus síleann sé go bhfuil sé thar am ag an domhan a thabhairt faoi deara cad atá ag tarlú sa phéintéireacht in Éirinn. Is é a thuairim gur i mBaile Átha Cliath i láthair na huaire atá an phéintéireacht is fearr ar domhan ar siúl.

ACKNOWLEDGEMENTS

AN POST *is grateful to the following for permission to reproduce the material featured in this book:-* The National Gallery of Ireland; The National Library of Ireland; Patrick McKenna, Richard T. Mills, Marquess of Salisbury; R.T.E.; Taylor Gallery, Dublin; Solomon Gallery, Dublin; Kerlin Gallery, Dublin; Temple Bar Galleries; National Dairy Council; The European Commission; The Chester Beatty Library; The Ulster Museum, Belfast; The Hugh Lane Municipal Gallery of Modern Art, Dublin; The Crawford Municipal Gallery, Cork; Irish Museum of Modern Art, Kilmainham; Tom Curtis; The Board of Trinity College, Dublin; The Slide File, Dublin; and those artists whose work is featured in the "Contemporary Art" section of this book.

Photography:- Richard T. Mills; Pat McKenna; Liam Blake; John Cyril; Brendan Dempsey.

Illustrations:- Pine Marten and Squirrel by Richard Ward.

Philatelic Advisory Committee:- Dr. Tom Murphy (Chairman), Liam Ó Réagáin, Dr. Joseph Quigley (deceased), Barbara Wallace, John Mulhern, Terry Quinlan, Charles Walshe, Jerry Liston, Ian Whyte, Norman Newcombe, Declan O'Leary (Secretary).

Stamp Design Advisory Committee:- Norman Newcombe (Chairman), Ciarán MacGonigal, Dr. Thomas Ryan R.H.A., Dr. Patricia Donlon, Ronnie Dalglish, Patrick Carolan, Tom Coleman, Gerry Mooney, Denis Cromie (Secretary).

Special thanks to the following for their assistance:- John Taylor, Charles Benson, Suzanne MacDougald, John Kennedy, David Fitzgerald, Peter Fox, Marcella Senior, Paddy O'Sullivan, Noel Carroll, Wendy Walsh, Mike Heare, Mary O'Connor, Donal Synnott, Breda Sheehy, Lennie Mc Cullough, Felicity O'Mahony, Brendan Dempsey.